Le palais du roi Merry

Cet ouvrage a initialement paru en langue anglaise sous le titre :
Secret Kingdom, Enchanted Palace

Traduction : Valérie Mouriaux.
Conception graphique : Lorette Mayon.
Colorisation des illustrations : Sandra Violeau.

Hachette Livre, 43, quai de Grenelle, 75015 Paris.

Rosie Banks

le Royaume Enchanté

Le palais du roi Merry

hachette
JEUNESSE

Summer est réfléchie, Ellie est inventive, et Jasmine est pétillante… Mais elles ont beau être très différentes, elles sont inséparables ! Leur point commun ? La curiosité et la soif d'aventure !

Trixibelle

Comme toutes les fées,
Trixi est minuscule
et possède des pouvoirs
extraordinaires…
Des ailes ? Aucun intérêt,
quand on peut voler
sur une feuille !

Le roi Merry

Le roi Merry règne sur
le Royaume Enchanté.
Généreux et tête
en l'air, il s'affole vite
en cas d'ennuis…
Il préfère faire la fête
et voir les gens heureux !

La reine Malice

C'est difficile à croire, et
pourtant… la reine Malice
est la sœur du roi Merry !
Elle est aussi diabolique
qu'il est bienveillant,
et aussi abominable qu'il
est adorable.

Voici
le Royaume Enchanté !

Bienvenue au palais
du roi Merry !

1. Une étrange découverte

— J'ai fini, madame Benson ! annonce Summer en refermant un carton rempli de livres.

— Moi aussi ! s'exclame Jasmine après avoir empaqueté les derniers objets.

Un sourire éclaire le visage de Mme Benson, la directrice de l'école.

— Quelle efficacité, mesdemoiselles ! Bravo !

Ellie relève la tête. Ses boucles rousses balaient son visage. Elle les glisse derrière son oreille avec un geste d'impatience.

— Hé ! Depuis quand est-ce qu'on fait la course ? s'indigne-t-elle. Vous ne m'aviez pas prévenue !

Ses yeux verts pétillent.

Jasmine fait un clin d'œil à Summer.

— On a gagné, non ?

Summer, Ellie et Jasmine échangent des regards complices. Elles sont très différentes, et pourtant, elles sont les meilleures amies du monde.

Summer est la plus timide : elle s'empourpre souvent pour un rien en tirant nerveusement sur ses tresses. Sa passion : les livres sur la nature. Parfois, elle écrit des poèmes ou des histoires au sujet de ses animaux préférés.

Jasmine est vive et d'un tempérament extraverti. Elle aime danser, chanter et surtout, elle adore être sur scène !

Ellie, enfin, est une vraie artiste : aussi douée en dessin que maladroite dans la vie ! Toutefois, elle est la première à en rire.

— Vous avez toutes gagné ! intervient Mme Benson en riant.

Ce vide-grenier de l'école est le plus réussi de tous, et c'est grâce à vous !

— Tant mieux ! répond Summer, les joues roses de plaisir. Ces vieux livres traînaient dans mon grenier…

— … et ils ont drôlement plu ! déclare la directrice. Jasmine, tu as merveilleusement joué de la guitare. La preuve : on l'a vendue aussitôt après !

La petite fille sourit.

— Ce n'était pas grand-chose. Vous savez à quel point j'aime la musique !

— Et le stand de mode, quel

succès, avec les créations d'Ellie !

Mme Benson déplie un tee-shirt vert pomme et violet.

— Il vous plaît ? demande Ellie. Je l'ai cousu spécialement pour vous.

— Il est magnifique !

— Le vert et le violet sont mes couleurs préférées, précise Ellie.

— Sans blague ? lance Jasmine d'un air moqueur.

Leur amie porte une robe verte à fleurs violettes, un legging vert et des ballerines violettes !

Ellie pouffe. Elle pivote pour prendre son sac et trébuche sur un objet resté au sol.

— Aïe !

— Tu ne t'es pas fait mal ? s'inquiète Mme Benson.

— Je me suis emmêlé les pinceaux... Un comble pour quelqu'un qui adore peindre ! s'exclame Ellie. C'est quoi, ce truc ?

Elle ramasse le coffret poussiéreux contre lequel elle a buté. Sur ses côtés, on devine des motifs sculptés. Un miroir, entouré de six pierres, orne le couvercle. Ellie l'essuie d'un revers de manche. Au même instant, les pierres scintillent… comme par magie !

— Bizarre… murmure-t-elle.

Elles se sont mises à briller d'un coup !

Jasmine s'empare du coffret pour l'examiner à son tour.

— Impossible de soulever le couvercle ! s'étonne-t-elle.

Mme Benson jette un coup d'œil à sa montre.

— Aucun client ne viendra plus à cette heure-ci. Vous n'avez qu'à l'emporter !

— Oh, merci ! lance Summer. Il est tellement beau ! Il nous servira de boîte à bijoux. Allons chez moi, les filles !

Elles saluent la directrice, puis courent jusque chez Summer.

Elles entrent en trombe dans la maison. Après un rapide bonjour à Mme Hammond, elles grimpent l'escalier quatre à quatre.

Les murs de la chambre de Summer sont couverts de posters d'animaux sauvages. Sur son étagère, les livres sont alignés avec soin. Elles se laissent tomber sur le tapis blanc pelucheux. Rosa, la chatte, vient renifler le coffret en bois avec intérêt.

— Et maintenant, qu'est-ce qu'on fait ? interroge Ellie.

Jasmine attrape des mouchoirs sur la table de nuit.

— D'abord, on le nettoie !

Elles ôtent la poussière, et bientôt, le coffret est comme neuf.

— Il est magnifique ! s'exclame Summer.

Elle effleure les motifs de fées, de licornes et de créatures magiques gravés dans le bois. Les pierres vertes brillent comme des émeraudes.

— À votre avis, qu'est-ce qu'il y a à l'intérieur ? chuchote Ellie.

Jasmine hausse les épaules.

— Essayons de l'ouvrir encore une fois.

À l'aide d'une règle, Ellie tente de soulever le couvercle. Sans succès.

Summer soupire.

— Comment faire ?

Alors qu'elle frotte le miroir avec un mouchoir, elle laisse échapper un cri.

— Le miroir ! Il brille !

— Mince alors ! hoquette Ellie, les yeux écarquillés. Regardez : des mots apparaissent !

— « *Dix doigts en font deux,* déchiffre lentement Jasmine,

mais deux ne suffisent pas.

Seules trois réussiront,

Posées chacune sur une pierre. »

Les amies échangent des regards intrigués.

— C'est… c'est une blague ? balbutie Summer.

— Ou de la magie… souffle Ellie.

— Ça me fait penser aux énigmes indiennes, renchérit Jasmine d'un air songeur. Ma grand-mère en raffole. Elle dit que c'est idéal pour faire travailler ses méninges !

— Tu saurais résoudre celle-ci ? questionne Ellie.

Jasmine fronce les sourcils.

— Grandma assure que les énigmes ont toujours un sens caché. Voyons… « *Dix doigts en font deux* »… Deux quoi ?

Elle lève les mains, en écartant les doigts.

— Deux mains ! s'exclame Ellie. « *Mais deux ne suffisent pas* »... Donc, deux mains ne suffisent pas !

— « *Seules trois réussiront, posées chacune sur une pierre* », reprend Summer. Attendez... Trois paires égalent six mains ! Et nous sommes trois !

Le visage d'Ellie s'illumine.

— L'énigme nous invite à poser nos mains sur les pierres !

Jasmine, enthousiaste, place sans attendre ses mains sur deux des pierres. Ellie et Summer l'imitent. À présent, leurs paumes couvrent le miroir.

Summer perçoit une étrange sensation de chaleur.

— Vous sentez la même chose que moi ?

Ellie et Jasmine hochent la tête, les yeux écarquillés.

Tout à coup, des rayons de lumière fusent entre leurs doigts, et les filles s'écartent aussitôt. La seconde suivante, le couvercle se soulève.

Un faisceau lumineux jaillit du coffret et balaie les murs de la chambre. Il éclaire un instant l'armoire avant de s'évanouir.

— J'ai rêvé ou quoi? articule Ellie.

Le coffret vient de se refermer. Comme si rien ne s'était passé!

Soudain, des cris s'échappent de l'armoire.

— Il fait trop noir là-dedans! gémit une voix assourdie.

— Calmez-vous, Majesté. Je vais vous sortir de là.

— Attention à tes coudes, Trixibelle! reprend la voix plaintive.

Les trois amies se dévisagent, ahuries.

La porte de l'armoire se met à trembler. Les filles bondissent sur leurs pieds.

— J'ai trouvé la sortie ! annonce une voix fluette.

Rassemblant tout son courage, Jasmine brandit la règle de Summer comme une épée.

— Qui est là ? hurle-t-elle.

En guise de réponse, l'armoire s'ouvre brusquement sur une minuscule silhouette colorée qui s'élance sur une feuille en projetant des étincelles autour d'elle !

2. De curieux visiteurs

Les fillettes retiennent leur souffle.

Quelle étonnante créature : pas plus grande qu'un stylo-plume ! Et si jolie avec ses cheveux blonds ébouriffés qui balaient ses joues roses et ses petites oreilles pointues ! Elle porte un chapeau en forme de fleur, assorti à sa robe. Ses bracelets et ses boucles d'oreilles scintillent, ses yeux bleus pétillent… et quel sourire ravissant !

— On jurerait qu'elle sort d'un dessin animé ! murmure Jasmine, ébahie.

— Elle re… ressemble à u… une… bégaie Summer.

— Une fée ? termine la jolie créature en souriant. Eh oui ! J'en suis bien une. En chair et en os !

Elle exécute un triple salto sur sa feuille.

— Je m'appelle Trixibelle.

Trixi, pour les intimes. Fée royale, à votre service !

Ellie et Summer sont bouche bée. Une vraie fée !

Jasmine est la première à s'avancer.

— Euh... Enchantée... Moi, c'est Jasmine. Voici Ellie et Summer.

— Summer, Jasmine et Ellie ! répète Trixi.

L'anneau autour de son doigt se met à briller. La fée le tapote. Aussitôt, des étincelles en jaillissent, tracent leurs prénoms dans les airs, puis retombent en une pluie de poudre argentée.

— On dirait des flocons de neige ! s'extasie Jasmine.

Au même instant, l'armoire vacille.

— Trixi ! Où es-tu encore passée ? gronde une voix.

La porte s'ouvre d'un coup, et une pile de vêtements se déverse sur le sol. Un curieux individu s'en extirpe. Un peu plus petit que les filles, il porte une tunique de velours violette ornée de plumes blanches. Des lunettes en forme de demi-lunes sont perchées au bout de son nez. Il a un ventre rebondi, une barbe taillée en pointe, et sa couronne

est posée tout de travers sur son épaisse chevelure blanche.

— Le roi Merry, souverain du Royaume Enchanté, le présente Trixi.

Elle vole jusqu'à lui et s'incline en une profonde révérence.

Après une légère hésitation, les trois amies l'imitent.

— Ravie de faire votre connaissance, déclare Jasmine. Mais... euh... que faites-vous ici, dans la chambre de Summer ?

— Et quel est ce Royaume Enchanté ? questionne Ellie, les sourcils froncés.

Le roi ajuste ses lunettes. Il scrute les trois filles une à une.

— Nom d'une pipe ! rugit-il. Ne seriez-vous pas des humaines ?! Quel tour m'as-tu encore joué, Trixi ?

— Aucun, sire, promet Trixibelle. J'ai l'impression que nous sommes au Royaume Réel…

— Saperlipopette ! s'exclame le roi. Le Royaume Enchanté et votre monde – le Royaume Réel – sont voisins. Mais nos chemins se croisent rarement ! D'ailleurs, je serais curieux de savoir comment nous avons atterri ici…

Trixi montre le coffret en bois.

— Oh ! Votre coffret magique, sire !

— Magique ? répète Summer, les yeux ronds.

— C'est une de mes inventions, déclare le roi avec

fierté. Il permettra de sauver mon royaume de la perfide reine Malice. Mais je ne sais pas encore très bien l'utiliser…

— Qui est la reine Malice ? interroge Jasmine.

Le roi Merry ôte sa couronne. Il se gratte la tête, l'air inquiet.

— Ma sœur. Elle n'a qu'un désir : détruire mon merveilleux royaume ! J'en suis le souverain, et elle ne pense qu'à se venger…

— Aujourd'hui, Sa Majesté fête ses mille ans… Et pour gâcher la fête, la reine Malice a jeté six mauvais sorts sous forme d'éclairs, annonce Trixi, les yeux brillants

de colère. Nous ignorons où ils sont cachés…

— Le miroir ! s'écrie brusquement Ellie.

Elle lit les mots qui s'y forment :

— « *Ne regardez pas plus loin*
que le bout de votre nez,
que le bout de vos pieds !
Mais fixez-moi,

Puis à 1, 2, 3,

la solution apparaîtra!»

— C'est bien ce que je pensais ! gronde le roi. Il est détraqué !

— C'est une énigme, sire, explique Jasmine.

Le roi fronce les sourcils.

— Hum... C'est moi, l'inventeur. Alors, je saurai peut-être la résoudre...

Jasmine acquiesce d'un signe de tête.

— Voyons voir... poursuit le roi. « *Pas plus loin que le bout de votre nez, que le bout de vos pieds...* »

Il louche vers son nez. Puis il penche la tête vers ses pieds. Les trois amies échangent des regards consternés. En se redressant, le roi perd l'équilibre. Il mouline des bras... et tombe sur les fesses !

Ellie claque des doigts sans lui prêter attention.

— Je sais ! s'exclame-t-elle. « *À 1, 2, 3...* »

— 1, 2, 3 quoi ? demande le roi.

— « *... la solution apparaîtra !* » C'est nous, les trois !

Les filles fixent le miroir : leurs visages s'y reflètent.

— Bravo ! les applaudit Trixi.

Elle chuchote à l'oreille d'Ellie :

— Jamais une invention de Sa Majesté n'a aussi bien fonctionné !

— Pardon, Trixi ? interroge le roi en haussant un sourcil.

La fée prend un air innocent.

— Rien, sire... Je disais que vos inventions ont toujours du succès !

Le roi sourit. De nouveau, il scrute les filles.

— Le Royaume Enchanté est en danger, mesdemoiselles. La reine Malice veut le détruire. Vous êtes notre seul espoir. Êtes-vous prêtes à nous aider ?

Ellie lance un coup d'œil complice à Summer et à Jasmine.

— Jamais deux sans trois ! déclare-t-elle. Vous avez notre parole !

3. Un voyage étonnant

★

Le miroir du coffret se met à briller, puis une nouvelle énigme apparaît.

— « *La foudre est à l'endroit*
que le roi préfère, lit Summer.
Seule la magie l'éteindra
avant la fin du jour. »

Trixi fronce les sourcils.

— Quel endroit préférez-vous au Royaume Enchanté, sire ?

— La Promenade des Cascades… répond le roi sans hésiter. Quoique… ajoute-t-il en tirant sur sa barbe, les Collines de Topazes me plaisent aussi…

Cela dit, les Prairies Mystérieuses sont fantastiques... Comment choisir ? Oh ! Je réfléchis vraiment mieux dans mon palais !

— C'est peut-être ça, l'endroit que vous préférez ? suggère Ellie.

— Saperlipopette ! s'exclame le souverain. Comment avez-vous deviné ?

— C'est terrible ! s'écrie Trixi. On doit fêter aujourd'hui même l'anniversaire du roi au palais. Et la reine Malice y a caché un éclair ! Partons tout de suite !

Summer secoue la tête, dépitée.

— C'est impossible... Qu'est-ce qu'on dira à nos parents ?

— Ne vous inquiétez pas, la rassure Trixi. Pendant votre absence, le temps sera suspendu. Personne ne saura que vous êtes parties.

Les yeux d'Ellie pétillent.

— Alors, on y va ?

La fée tapote le coffret avec son anneau.

— La reine malfaisante a lancé un sort. Que nos amies nous viennent en aide ! chantonne-t-elle.

Les mots qu'elle vient de prononcer jaillissent du miroir comme des papillons dorés.

— Tenez-vous la main ! ordonne Trixi.

Les mots s'enroulent autour des filles. Summer laisse échapper un cri de surprise : ses pieds quittent le sol ! Les trois amies sont aspirées dans les airs. Le roi Merry vole à leurs côtés. Au-dessus de lui, Trixi continue de s'élever.

— Génial ! s'écrie Jasmine.

Un éclair de lumière traverse la chambre, et tous les cinq disparaissent.

4. Au Royaume Enchanté

Jasmine atterrit en douceur sur une matière blanche et duveteuse. Elle regarde autour d'elle.

Comme elle, le roi et ses amies chevauchent chacun un immense cygne. Celui du souverain a des plumes d'or.

Trixi, quant à elle, vole à leurs côtés sur sa feuille.

— Quels oiseaux splendides ! s'émerveille Summer.

— J'adore voler ! s'exclame Jasmine.

— Ce n'est pas le cas de tout le monde… gémit Ellie.

La pauvre est blanche comme un linge. Summer se mord la lèvre : leur amie a le vertige. Ce n'est pas de chance !

— Regarde le paysage ! la réconforte-t-elle.

Ellie penche légèrement la tête. Un cri de surprise lui échappe. Elle aperçoit une île étincelante en forme de croissant de lune ! Les plages sont dorées, et l'eau limpide. Des collines d'un vert émeraude s'étendent à perte de vue… et de minuscules soleils plantés sur des tiges dorées parsèment les prairies. C'est magnifique !

Bientôt, les cygnes descendent parmi les nuages cotonneux. Jasmine cligne des yeux. Non, elle ne rêve pas ! Assises sur des rochers argentés, des sirènes peignent leur longue chevelure. Leur chant est sublime !

Des libellules aux délicates ailes colorées volettent à leur rencontre. L'une d'elles se pose sur la tête de Summer, qui éclate de rire. Quelle jolie barrette !

— À gauche, c'est l'École Volante des fées ! présente le roi. À droite, la Montagne Magique.

Voyez ses pentes enneigées et ses couloirs de glace ! Là, c'est la Vallée des Licornes, avec son champ de courses et son arbre magique… Et enfin, voici mon palais, ajoute-t-il en désignant un château niché entre deux collines.

Il semble sorti tout droit d'un livre de contes ! Les douves sont d'un bleu saphir, des milliers de cerises sortent des murs rose corail. Les flèches des quatre tours sont ornées de diamants et de rubis.

Enfin, les cygnes se posent. Quel soulagement pour Ellie !

— Alors, cette promenade ? s'enquiert Trixi.

— La vue sur le royaume est magnifique... reconnaît Ellie. Mais je préfère la terre ferme !

— Vivement qu'on recommence ! s'exclame Jasmine à son tour.

— Suivez-moi ! les invite le roi.

Les grilles dorées se tordent sur elles-mêmes pour prendre la forme d'un immense chêne vers lequel le roi s'avance. Aussitôt, des boutons fleurissent sur les branches, et une fanfare retentit. Des elfes en longs manteaux noirs et portant des gants blancs s'empressent de saluer leur souverain, avant de retourner suspendre des cordes dans les arbres. Ellie aperçoit des lucioles qui volent dessus.

« Des guirlandes lumineuses… songe-t-elle, émerveillée. Astucieux ! »

Summer pose la main sur son bras.

— Regarde !

En face d'elles, une immense fontaine regorge d'un liquide pétillant.

— De la limonade ! s'exclame Ellie.

Elle tire la langue pour essayer d'attraper des gouttes tandis que ses amies éclatent de rire.

Au même moment, des bruits de sabots résonnent sur les pavés. Un magnifique poney bleu conduit par un elfe-cocher et tirant un chariot chargé de paquets s'arrête devant eux.

— Mes cadeaux d'anniversaire ! se réjouit le roi Merry, tout excité.

Summer observe la crinière bleu vif du poney.

— Splendide ! murmure-t-elle.

Trixi donne une petite tape sur sa bague. À ce geste, une belle pomme rouge apparaît dans la main de chaque fillette. Elles s'avancent pour les offrir au poney lorsqu'une ombre obscurcit le palais...

— Sacrebleu ! gronde le roi Merry en levant la tête.

Une longue silhouette se dresse sur un épais nuage. Une couronne brille sur ses cheveux frisés et noirs.

— La reine Malice ! s'écrie Trixi.

5. Drôles de jeux

Jasmine, Summer et Ellie se serrent les unes contre les autres. Des éclairs déchirent le ciel, le tonnerre se met à gronder, et une pluie diluvienne s'abat sur le chariot. En quelques secondes, les paquets sont trempés.

— Bien fait pour toi, mon frère ! hurle la reine Malice.

Elle éclate d'un rire grinçant et s'éloigne sur son nuage.

Soudain, de minuscules jambes déchirent l'emballage des présents du roi Merry. Les paquets s'enfuient en courant !

— Mes cadeaux ! gémit le souverain.

Trixi tapote son anneau... mais cette fois-ci, il ne se passe rien !

— La magie de la reine Malice est trop puissante ! déclare-t-elle, dépitée.

Ellie plonge la tête la première sur un paquet. Les jambes se replient, et le paquet s'immobilise.

— Attrapons ceux qui restent ! commande Jasmine.

Summer et elle en bloquent trois d'un coup, dans un angle de la cour. Un autre se faufile entre les jambes d'un elfe-valet. Dans sa précipitation, Ellie renverse le petit homme. Elle se redresse, confuse.

De son côté, le roi Merry s'étale de tout son poids sur un fuyard. Quand il se relève, le paquet est aplati. Heureusement, Trixi tapote son anneau, et le cadeau reprend forme.

— Merci ! s'exclame le roi, soulagé.

Bientôt, tous les paquets sont rangés dans le chariot.

— Bien joué ! se réjouit la fée. Bobbins ! appelle-t-elle.

Un elfe arrive en courant.

— Sers une grande tasse de chocolat chaud et une assiette

de chamallows au roi. Et prépare ses habits de fête. Les invités arrivent dans deux heures !

Bobbins obéit et entraîne le roi à l'intérieur du palais.

— C'est parti pour la chasse à l'éclair ! s'écrie la fée à l'intention des filles. Commençons par le jardin !

Elles en inspectent chaque recoin... Aucune trace de l'éclair !

Un peu plus loin, un arc-en-ciel plonge dans un étang.

— Ce toboggan magique nous emmène là où on veut dans le royaume, leur explique Trixi.

Elles traversent un bosquet

d'arbres à barbe à papa. Des elfes-scouts déposent des gâteaux sur une longue table.

— Tiens ! On a les mêmes chez nous… s'étonne Ellie en désignant les biscuits au glaçage rose.

— Pas sûr… répond Trixi.

Ceux-là te permettent de voler pendant cinq minutes.

— Waouh ! s'écrie Jasmine.

Impatiente, elle en croque une bouchée. Summer l'imite. En un instant, des ailes scintillantes apparaissent dans leur dos.

Elles prennent leur envol et s'élèvent, toujours plus haut. Bientôt, le vent siffle à leurs oreilles. Quelle merveilleuse sensation !

Trixi vient se poser sur l'épaule d'Ellie.

— Tu les accompagnes, Ellie ?

— Certainement pas ! Je préfère garder les pieds sur terre, moi !

Tout à coup, dans le ciel, Summer pousse un cri :

— Nos ailes ! Elles rétrécissent !

— On va tomber ! hurle Jasmine, paniquée.

Sans perdre une seconde, Trixi tapote son anneau, et les deux filles atterrissent en douceur.

— On a eu chaud ! souffle Jasmine.

— Voler sur une feuille est plus sûr, croyez-moi ! lance Trixi avec un clin d'œil.

Summer essaie bien de sourire, mais ses jambes tremblent encore.

— Drôles de gâteaux ! fait remarquer Ellie en montrant des sablés en forme de cœurs.

— Ce sont des biscuits sans fin, répond une elfe aux cheveux bruns et à la cape verte. On peut en manger autant qu'on veut. On n'est jamais rassasié !

Ellie en saisit un.

— Miam ! On dirait un mélange de fraise, de chocolat et de glace ! Délicieux ! se régale-t-elle.

Les trois amies aperçoivent alors deux minuscules lutines en train d'enrouler une de leurs compagnes dans du papier rose brillant.

— C'est pour le Jeu de la Momie, explique Trixi.

Plus loin, un diablotin dessine une licorne sur un mur.

— C'est pour quoi faire ? demande Jasmine.

— On bande les yeux du joueur, et il doit poser une fausse queue sur la licorne, répond la

fée. On a aussi prévu une partie de chaises musicales et de colin-maillard. Et bien sûr, le jeu des statues. Mais cette fois, les gnomes ont promis de nous rendre notre forme avant la nuit !

Un grand éclat de rire les interrompt.

— Ça vient de là ! annonce Summer.

Elle désigne un portail en fer forgé.

— Le théâtre ! Les comédiens du roi y préparent un spectacle. Suivez-moi ! lance la fée.

Soudain, elles se figent : un éclair noir barre l'entrée…

6. Le mauvais sort

Ellie, Summer et Jasmine sont tétanisées de peur : l'éclair de la reine Malice est à leurs pieds !

Le rire retentit à nouveau.

— Si quelqu'un rit, ce n'est peut-être pas trop grave… murmure Summer, pleine d'espoir.

Elles entrent avec précaution dans le théâtre. Les comédiens sont affalés sur la scène, les joues baignées de larmes.

— On a le fou… fou rire, bégaie un lutin entre deux hoquets.

— On… ne… sait… p-p-p-as… p-p-p-ourquoi… lance un autre, hilare.

— Quel-quelqu'un a p-peint notre d-décor en noir, articule un troisième comédien tout en se tenant les côtes.

— La reine Malice ! s'exclame Trixi, furieuse.

Elle tapote son anneau en récitant :

— *Magie, aide-moi!*

Que le rire cesse, que la répétition reprenne!

Une poudre argentée arrose les comédiens. Peine perdue : ils rient toujours.

— Ma magie est trop faible ! grommelle la fée. Le spectacle d'anniversaire du roi est fichu…

— Pourquoi ne pas le créer nous-mêmes ? suggère Jasmine.

— Donnez-moi de la peinture et des pinceaux, s'écrie Ellie, et je réalise un décor *illico presto* !

— Moi, je peux écrire une chanson… propose timidement Summer.

— Super ! Je m'occupe de la danse ! ajoute Jasmine.

— Bravo ! les félicite Trixi.

Elle tapote à nouveau son anneau. Des pots de peinture de différentes couleurs apparaissent aussitôt.

Jasmine grimpe sur scène.

— Comment a-t-on osé faire ça ? s'indigne-t-elle devant le décor noirci.

Elle ferme les yeux et revoit le magnifique paysage du Royaume Enchanté. Les sirènes sur leurs rochers, la mer bleu azur… Inspirée, elle se met au travail.

De son côté, Jasmine esquisse quelques pas de danse, très concentrée, tandis que Summer mâchonne son crayon.

« Voyons… Quelles paroles pour ma chanson ? »

Elle regarde le ciel. Surprise ! Elle aperçoit des étoiles filantes.

Pourtant, il fait encore jour ! L'inspiration lui vient. Vite, elle écrit sa chanson.

Bientôt, tout est prêt !

— Que fait-on des pauvres comédiens ? s'inquiète Summer.

Trixi hausse les épaules.

— Ils n'ont pas l'air malheureux ! Mais il faut libérer la scène. Les invités ne vont plus tarder…

Les trois amies transportent donc les lutins hilares dans les coulisses.

Le public s'installe. Voilà le roi en tenue de cérémonie ! On l'acclame avec chaleur. Trixi vole derrière lui, portant l'extrémité de sa longue cape. Le souverain a les yeux brillants et les joues roses d'excitation !

Lorsque la fée tape sur son anneau, les projecteurs s'allument.

Dans les gradins, Summer et Ellie aperçoivent deux vraies licornes ! Non loin, des fées aux ailes scintillantes chuchotent. Le premier rang est réservé aux plus jeunes lutins, elfes et diablotins.

Jasmine sent son cœur battre la chamade. Elle prend une profonde inspiration et s'avance. Un murmure parcourt la foule.

— Ils n'ont jamais vu d'humaine ! explique Trixi.

— Bienvenue au spectacle d'anniversaire du roi Merry ! déclare Jasmine, les bras levés.

Le public applaudit.

— Elle est géniale ! murmure Trixi à l'oreille de Summer et d'Ellie.

— Cependant, le programme a changé… poursuit leur amie.

Le roi pâlit. Jasmine le rassure d'un clin d'œil.

— La reine Malice a ensorcelé les comédiens. Nous assurerons donc nous-mêmes le spectacle !

— Formidable ! acclame le public.

— Et voici Summer et Ellie !

annonce Jasmine avec un sourire malicieux.

Summer, rouge écarlate, tire sur ses tresses.

— Courage ! lance Jasmine.

Trixi tapote son anneau. Aussitôt, violon, trompette, flûte, saxophone et batterie apparaissent. Un micro surgit entre les mains de Jasmine. Les trois amies entonnent leur chanson. Le public reprend le refrain avec elles :

— *Le Royaume Enchanté,*
Quel endroit magique !
Même la lune sourit.
Longue vie au roi Merry !
Qu'on fête son anniversaire !

Jasmine danse, sa longue chevelure sombre ondulant derrière elle. Le public applaudit en rythme. Souriante, Ellie fait un clin d'œil à Summer.

— On a empêché la reine Malice de…

PATATRAS !

Six étranges créatures, chacune chevauchant un éclair, s'engouffrent avec fracas dans le théâtre. Elles sont très laides et

ont des cheveux noirs hirsutes. Leurs yeux brillent de méchanceté tandis que leur bouche dessine une moue cruelle.

— Trixi ! souffle Summer. Que se passe-t-il ?

Les créatures ailées déversent d'énormes gouttes de pluie sur la scène.

La fée est livide.

— Les Esprits Ouragans de la reine ! Si une goutte nous atteint, nous deviendrons aussi tristes et méchants qu'eux !

Summer se tourne vers Jasmine. Une goutte de pluie se dirige droit sur elle !

Splitch ! Splatch ! Splotch !

— Jasmine ! hurle Summer. Baisse-toi !

La fillette plonge en avant. L'énorme goutte d'eau frôle sa tête. Ouf ! Elle se relève aussitôt.

— Quittons la scène, vite ! s'écrie Trixi.

Toutefois, Jasmine continue de danser.

— Pas question que la reine Malice gâche notre spectacle !

En évitant de justesse une goutte, le roi culbute en arrière.

— Hé, les Esprits ! crie Jasmine. Essayez donc de me toucher !

Les six Esprits Ouragans, piqués au vif, foncent sur elle.

Splitch ! Splatch ! Splotch !

Les gouttes d'eau fusent. Jasmine parvient à les esquiver.

Soudain, elle a une idée. Elle s'immobilise.

— Qu'est-ce qui lui prend ? s'inquiète Ellie.

— Venez à côté de moi ! appelle Jasmine.

Ses amies obéissent. À gauche, trois Esprits s'apprêtent à charger. À droite, trois autres prennent leur élan.

— Prêtes ? souffle Jasmine. À trois, on se baisse… Un, deux, trois !

Elles s'accroupissent.

Un bruit d'éclaboussures, suivi de plaintes, s'élève. Les six Esprits sont trempés de la tête aux pieds.

— J'ai de l'eau plein le nez ! crie l'un d'eux.

— Je fais des bulles quand je parle ! grommelle un autre.

Ils se secouent. Jasmine et Summer recueillent alors des gouttes dans leurs mains, qu'elles utilisent pour les asperger.

— Au secours ! hurlent-ils en s'enfuyant.

— Bon débarras ! s'écrie Jasmine. Où est Trixi ?

La fée est en train d'aider le roi, qui est assis par terre, l'air morose.

— Voilà le résultat ! soupire-t-elle.

Summer observe une goutte restée dans sa main.

— Et si c'était l'antidote au sort de Malice ? suggère-t-elle.

— Voyons voir... répond la fée.

Son anneau se met à briller.

— *Petite goutte, écoute mon vœu !* chantonne-t-elle.

Que les comédiens cessent de rire !
Que le roi sourie !

Summer ouvre des yeux ronds. La goutte a disparu !

Les comédiens traversent la scène. Ils ont l'air de sortir d'un mauvais rêve.

Le roi se lève, radieux.

— Ça a marché ! se réjouit Trixi.

BOUM ! Un nuage de poussière noire envahit l'entrée.

— L'éclair de la reine a explosé ! comprend Trixi. Grâce à vous, le sort est rompu ! Vous avez sauvé les comédiens… et le spectacle !

Elle tapote son anneau, et le nuage s'évanouit.

Un grondement de tonnerre retentit. La reine Malice surgit, dressée sur son cumulus noir.

— Vous avez détruit mon éclair ! rugit-elle. Mais le prochain est si bien caché que personne, vous m'entendez, personne ne le trouvera jamais !

Elle éclate d'un rire grinçant avant de disparaître.

Trixi tremble de la tête aux pieds.

— Ne t'inquiète pas, la rassure Jasmine. Nous ne la laisserons pas détruire votre royaume. Promis !

Elle s'avance vers le public.

— Veuillez nous excuser pour cette interruption. Que diriez-vous de chanter avec nous... ?

Des hourras fusent dans les gradins. L'orchestre donne la note. À l'unisson, le public entonne : « Joyeux anniversaire, Majesté ». Des larmes de joie coulent sur les joues du roi.

Plus tard, il félicite les filles.

— Accepterez-vous de nous aider encore ?

— Bien sûr ! répond Jasmine.

— Quand vous voudrez ! renchérit Ellie.

— Avec plaisir ! ajoute Summer.

Le roi hoche la tête.

— Mais vous ne devrez révéler à personne l'existence de ce royaume.

— C'est promis ! s'exclament en chœur les trois amies.

Trixi tapote son anneau, et trois diadèmes scintillants apparaissent sur la tête des filles. Celui de Summer est orné de pierres roses en forme de cœurs. Celui d'Ellie a de jolis motifs entrelacés et est surmonté d'une émeraude. Celui de Jasmine est en or, fait de boucles délicates et d'opalines chatoyantes.

Les amies s'extasient.

— Vous porterez ces diadèmes lors de vos missions royales, déclare le roi. Je vous nomme ATI.

— ATI ? répète Jasmine.

— Amies Très Importantes, décode Trixi.

— Merci, roi Merry ! s'exclament les filles.

Trixi se tourne vers le décor d'Ellie en tapotant sa bague.

Celui-ci rétrécit dans un nuage argenté pour atterrir entre les mains de Summer.

— La carte du Royaume Enchanté ! s'exclame-t-elle.

Les amies la contemplent, ébahies. Le paysage de la carte bouge doucement. Les vagues lèchent les rochers, les forêts bruissent, les prairies brillent.

— Cinq autres éclairs sont encore cachés dans le royaume, rappelle Trixi. Nous communiquerons avec vous grâce au coffret. Et la carte vous aidera à vous orienter.

Les fillettes hochent la tête.

— Vous pouvez compter sur nous ! promet Summer.

Après avoir déposé un baiser sur le nez de chacune, Trixi tapote une dernière fois son anneau.

Un tourbillon entoure les trois amies, puis un éclair de lumière traverse la scène.

L'instant suivant, elles sont assises dans la chambre de Summer. Le coffret est posé sur le tapis blanc.

— Est-ce qu'on a rêvé ? demande Jasmine.

Elle cherche son diadème. Sans succès.

— La carte ! s'exclame Summer.

Elle la tient toujours entre ses mains. Non, elles n'ont pas rêvé !

— Où est-ce qu'on va la ranger ? interroge Ellie.

Comme pour lui répondre, le miroir du coffret se met à briller. À leur grande surprise, le couvercle se soulève doucement. À l'intérieur, elles découvrent six compartiments de tailles différentes, éclairés par un rayon de lumière.

Ellie glisse la carte dans l'un des compartiments. Pile à ses dimensions ! Lentement, le couvercle se referme.

— Je suis impatiente de repartir pour une nouvelle aventure ! murmure Jasmine.

— Moi aussi… chuchote Summer.

Dans le miroir, Ellie croit voir sourire le roi Merry.

— Le Royaume Enchanté nous rappellera bientôt, souffle-t-elle.

Table

PAPIER À BASE DE FIBRES CERTIFIÉES

hachette s'engage pour l'environnement en réduisant l'empreinte carbone de ses livres. Celle de cet exemplaire est de : 400 g éq. CO_2

Rendez-vous sur www.hachette-durable.fr

Photogravure **Nord Compo** - Villeneuve d'Ascq

Imprimé en Roumanie par G. Canale & C. S.A.
Dépôt légal : janvier 2013
Achevé d'imprimer : janvier 2013
20.3590.5/01 – ISBN 978-2-01-203590-4
Loi n° 49956 du 16 juillet 1949
sur les publications destinées à la jeunesse